# GWIWEROD
# GWIRION BOST

**Y fersiwn Saesneg**
The Squirrels Who Squabbled gan Rachel Bright a Jim Field
Cyhoeddwyd gyntaf gan Grŵp Cyhoeddi Watts yn 2017
Hawlfraint y testun © Rachel Bright 2017
Hawlfraint yr arlunwaith © Jim Field 2017

Mae hawliau Rachel Bright a Jim Field wedi'u cydnabod fel Awdur a
Dylunydd y Gwaith hwn. Mae eu hawliau wedi'u datgan dan Ddeddf
Hawlfreintiau, Dyluniadau a Phatentau 1988.

Cyhoeddwyd gyntaf yn 2017 gan Orchard Books,
Carmelite House, 50 Victoria Embankment, Llundain EC4Y 0DZ
Cedwir pob hawl

**Y fersiwn Cymraeg**
Addaswyd gan Manon Steffan Ros
Golygwyd gan Eirian Jones
Dyluniwyd gan Elgan Griffiths

ISBN 978-1-910574-91-1

Cyhoeddwyd yn y Gymraeg gan Atebol Cyfyngedig,
Adeiladau'r Fagwyr, Llanfihangel Genau'r Glyn, Aberystwyth,
Ceredigion SY24 5AQ yn 2017

www.atebol.com

Rachel Bright

Jim Field

# GWIWEROD GWIRION BOST

## Addasiad Manon Steffan Ros

atebol

Mewn coedwig enfawr, ble buodd yr haf,
roedd y mwsog yn wyrdd, a'r awel yn braf,
a'r hydref yn cyrraedd yn goch, ac felly
dechreuodd rhai cysglyd feddwl am y gwely.

In a towering forest, where summer had been,
The cool air bit fresh and the mosses grew green.
And as autumn edged in and the sky raged red,
The sleepiest creatures got ready for bed.

Ac yno, ar siglen
yn hongian o frigyn
roedd gwiwer fach hoffus –
un annwyl oedd Maldwyn.

A flighty young squirrel
Was up in a tree,
Who everyone knew as
'Maldwyn' – you see!

Roedd yr anifeiliaid
(o'r mwyaf i'r lleiaf)
wedi hel celc da
o fwyd at y gaeaf.

Eu cypyrddau yn llawn
o brydau bach blasus,
a phopeth yn barod,
a phob dim yn drefnus.

Now, most foresty folk
had seen to their needs,
Through the plentiful months
of mushrooms and seeds.

They'd built up their stores
so they'd all be well fed
Through the frosting of winter
that glittered ahead.

Ond am Maldwyn – gwnaeth
hwnnw ddim byd ond partïo.
Roedd joio'n bwysicach i hwn
na chynllunio.

But Maldwyn, he lived in the
now and the here
He'd adventured and partied
his way through the year.

Ac felly, doedd DIM BYD
i'w gael yn y ddrôr,

So his cupboard was empty,
his hollow was bare.

a doedd 'run briwsionyn
i'w roi yn ei stôr.

He hadn't a mouthful of
food anywhere.

Ond ... UN FUNUD FACH!
Welwch chi hwnna?
Un mochyn coed
yn cuddio yn y brigau!
Rhoddodd Maldwyn floedd –
roedd hwn yn beth pwysig!

But wait! What was that?
Over there! Take a look!
A single lone pine-cone,
wedged in a nook!
He squealed with delight –
and for very good reason . . .

Y tu mewn roedd
y
cnau
olaf
oll
yn
y
goedwig.

For inside were the
Very.
Last.
Nuts.
Of.
The.
Season.

Nid Maldwyn oedd yr unig un
a syllai arno'n llwglyd.
Yr oedd Tudur Trefnus Iawn
A'i lygad arno hefyd.

But . . . Maldwyn wasn't alone.
There were more hungry eyes.
Yes, 'Plan-Ahead Tudur'
had his sights on the prize.

Er bod ganddo Wyddfa fawr
o hadau a chnau i'w bwyta,
roedd o am gael UN MOCHYN COED
i'w osod ar y copa.

Dychmygodd y wledd
yn suddog a blasus.
'Bydd cnau bach fel yna
yn gwneud swper CAMPUS!'

Though he'd gathered a mountain
of bounty, hard-fought,
Tudur was convinced
he was one pine cone short.

'I simply must have it!'
he wistfully cried,
As he dreamt of the fresh,
juicy pine-nuts inside.

Ac fel yr oedd Maldwyn
yn brysio drwy'r brigau,
roedd Tudur ar wib,
yn dynn ar ei sodlau.

Drwy'r canghennau â nhw
fel dwy fellten oren
yn rhedeg a llamu
at frig yr hen goeden.

So as Maldwyn set off
on his way to the ground,
Tudur, he was also
Last-pine-cone-bound!

They sprinted and scurried –
with no time to gamble,
They scratched at the bark
in their scampering scramble.

Fe grynodd y pren
yn y miri mawr,
a'r mochyn coed gwerthfawr?

FE SYRTHIODD I'R LLAWR!

But their panic and haste
shook the tips of the spruce,
And the pine-cone,
it trembled and then . . .

IT CAME LOOSE!

Yn syth ar ei ôl
fe aeth y gwiwerod
gan ddechrau ar ras
oedd yn gryn ryfeddod.

Both squirrels gave
chase at a lightning pace.
This was the start of a
wild nutty race . . .

'Fi!' gwaeddodd Maldwyn.
'Na, fi!' meddai Tudur.

'It's mine!' shouted Maldwyn.
'You don't stand a chance!' . . .

'Paid cyffwrdd â'r cnau
efo pawennau budr!'

'No, mine!' hollered Tudur
Who started to prance!

'Dwi'n llwgu' medd Maldwyn.
'FI pia hwnna!'

'I'm hungry!' cried Maldwyn.
'This cone is not yours!'

'O na!' gwaeddodd Tudur.
'Mae'n cael dod i fy storfa!'

'Stay back!' shouted Tudur.
'This cone's for my stores!'

Saethodd y . . .

hochyn coed dros y llwyn.

It boinged over bushes and flew through the air.

a tharo arth gysglyd

yn glep ar ei THRWYN!

It binged on the nose of a slumbering bear!

It bounced over boulders

then came to a . . .

DOWNSIODD dros gerrig cyn dod i . . .

# STOP.

Ac yna,
fe grynodd,
ysgydwodd,
a . . .

Then teetered
and wobbled
and quivered
and . . .

# PLOP!

I ffwrdd â'r ddwy wiwer
i'r dyfroedd mawr grymus
a'r dŵr oedd yn oer,
yn ddwfn, a pheryglus.

Both squirrels followed.
Oh! The water was fast!
Would they learn that they needed
each other at last?

Roedd Maldwyn a Tudur
yn stryffaglu a 'mestyn –
yn llawer rhy brysur
i weld yr aderyn . . .

But each was intent
on how he could win,
So they didn't quite notice
A bird sweeping in!

Gwyliodd y ddau
Wrth i'r creadur annifyr
gipio'r mochyn coed
a'i godi i'r awyr.

'O, NA!' llefodd Tudur.
'Tyrd 'nôl!' gwaeddodd Maldwyn.
Ond doedd dim yn tycio —
i ffwrdd â'r aderyn.

Maldwyn and Tudur,
they watched in dismay,
As their cone disappeared up
up . . . up . . . and away!

'Come back!' shouted Maldwyn.
'They're our nuts!' Tudur said.
But all hope was gone.
The creature had fled.

And meanwhile they drifted
right up to the ledge.
Greed, it was driving them . . .

Arnofiodd y ddau
i gyfeiriad y dibyn,
ac ymaith â nhw . . .

I LAWR DROS Y CLOGWYN

OVER THE EDGE

Roedd Maldwyn a Tudur
wedi talu yn ddrud
am eu bod nhw ill dau
eisiau'r cnau bach i gyd.

Pam na fyddai'r gwiwerod
wedi rhannu'r cnau?
A beth fyddai'n digwydd
nesaf i'r ddau?

Maldwyn and Tudur,
they had taken a fall.
They were paying the price
for wanting it all.

They'd squandered their chances
to team up and share.
Would their nutty young hopes
simply end in despair?

**Roedd briwiau ar Tudur
a chleisiau ar Maldwyn –**

Bruised and bedraggled,
they swept past dry land.

**ond rhywsut, fe lwyddodd
cael gafael mewn brigyn,**

Maldwyn grabbed at a branch
with a trembling hand.

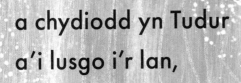

a chydiodd yn Tudur
a'i lusgo i'r lan,

Catching Tudur
with the other, he heaved
and he huffed . . .

ac yna gorffwysodd
y ddwy wiwer wan.

And dragged him to safety,
with panting and puffs.

Llonyddodd y ddau,
yn dawel am dipyn,
nes i Maldwyn droi . . .

They stared at the sky,
quite lost in deep thought,
Until Maldwyn looked at
Tudur and . . .

A dechrau **CHWERTHIN!**

'Wel, ni ydi'r gwiwerod
gwirionaf erioed!
Yr halibalŵ 'ma
dros un mochyn coed!'

Let out a snort.

'How silly we are!'
he proclaimed, all a-jiggle.
'How greedy I've been!'
spluttered Tudur with a giggle.

'Fe ddylwn ni ddathlu
ein bod ni'n dau'n iach,
a pheidio byth ffraeo
dros hen bethau bach.'

'We shall change from today.
May the squabbling cease.
We should celebrate –
seeing we're
both in one piece!'

Mae'r ddau wedi dysgu
i RANNU yn awr,
a'r ddwy wiwer fach
yn ffrindiau mawr, mawr.

Gŵyr Maldwyn a Tudur
mai'r peth gorau un . . .

From that day and forward,
they made a great pair.
They would gather together
and found they could share.

Yes, Maldwyn and Tudur,
they knew in the end . . .

. . . yw chwerthin a chwmni
a chyd-fyw'n gytûn.

The best thing to share is
a laugh with your friend.